EL GRAN LLIBRE DE LES FLORS

Experts en botànica:

Elisa Biondi i Scott Taylor

Real Jardí Botànic de Kew

Experta en flora i fauna:

Barbara Taylor

Pots trobar...

els 15 bulbs daurats amagats en aquest llibre? Compte amb els impostors!

EL GRAN LLIBRE DE LES FLORS

Text i il·lustracions de

YUVAL ZOMMER

JOVENTUT

QUI HI HA AQUÍ?

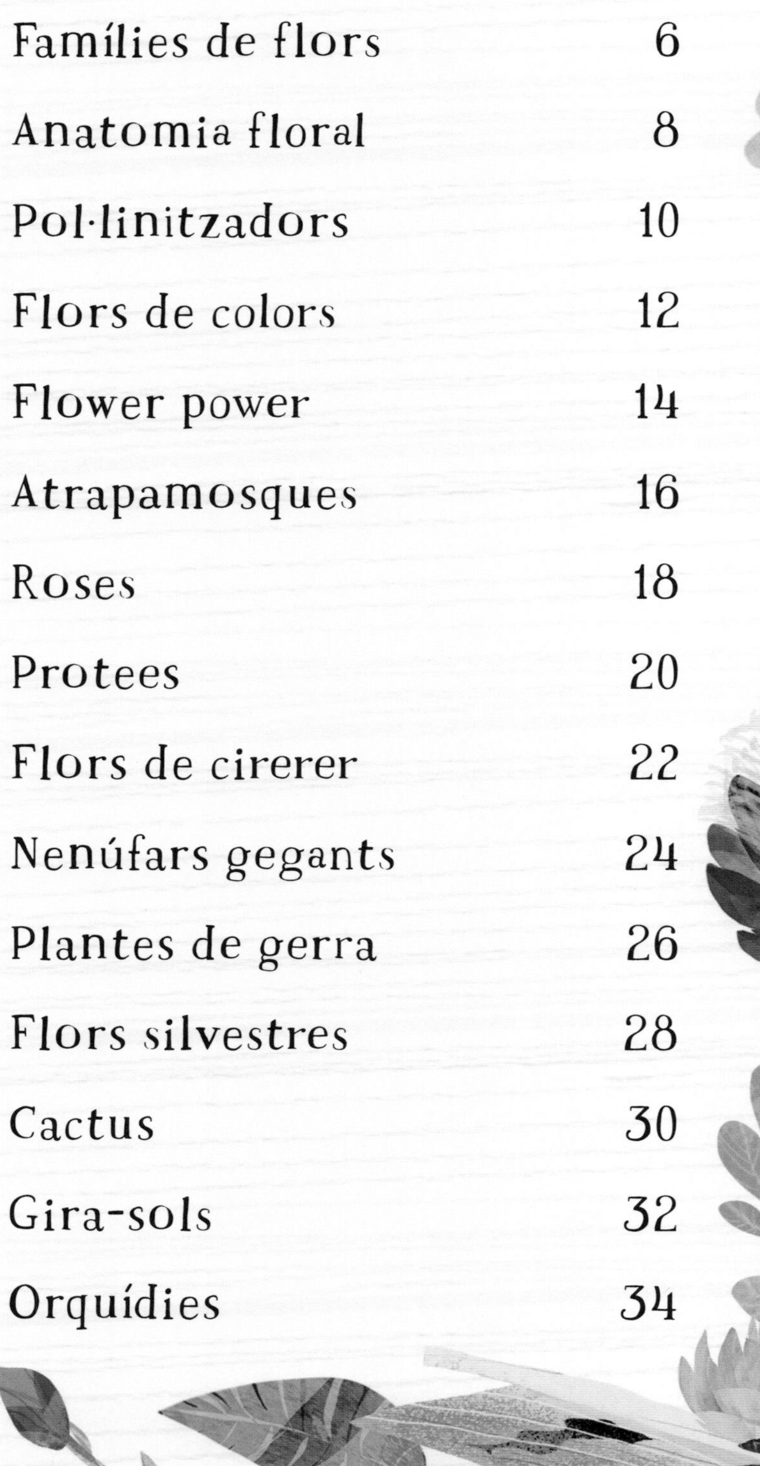

FAMÍLIES DE FLORS

Tenen família les flors?

Potser no tinguin germans, pares o mares, però totes les flors s'agrupen en famílies basades en trets comuns, com ara la forma de créixer o bé el seu aspecte.

Bulboses

Tulipes, lliris i narcisos són de la mateixa família que l'all i la ceba, i tots creixen a partir de bulbs.

Compostes

Gira-sols, margarides, dents de lleó i calèndules formen part d'una de les famílies més extenses.

Orquídies

La família d'orquidàcies té
flors fragants i vistoses
a tot el món.

Espinoses

Les plantes de la família de les cactàcies tenen
espines en lloc de fulles i creixen
en climes secs.

Fruiters

Gerds, pomes i cireres formen part de la mateixa
família, així com les ametlles i les roses.

Fabàcies

Pèsols d'olor, cigrons, cacauets
i llenties tenen flors en forma de papallona
amb 5 pètals.

ANATOMIA FLORAL

Per a què serveixen les flors?

L'objectiu principal d'una flor és ajudar la planta a reproduir-se. La flor forma llavors d'on creixen noves plantes.

ESTIGMA

POL·LEN

PÈTALS

ESTAMS

SÈPALS

CAPOLL

Formar llavors

El pol·len és una pols fina creada pels estams de la flor.

El pol·len de la part masculina d'una flor viatja fins a la part femenina d'una altra flor, on es formen les llavors.

El pol·len s'enganxa a l'estigma i comença el procés de formació de les llavors.

Cridar l'atenció

Els pètals són de colors llampants per atraure pol·linitzadors amants del nèctar, que juguen un paper important en la formació de les llavors (vegeu pàg. 10).

Xarxa de suport

Els sèpals són la part exterior verda d'una flor. Protegeixen els capolls joves, i aguanten els pètals.

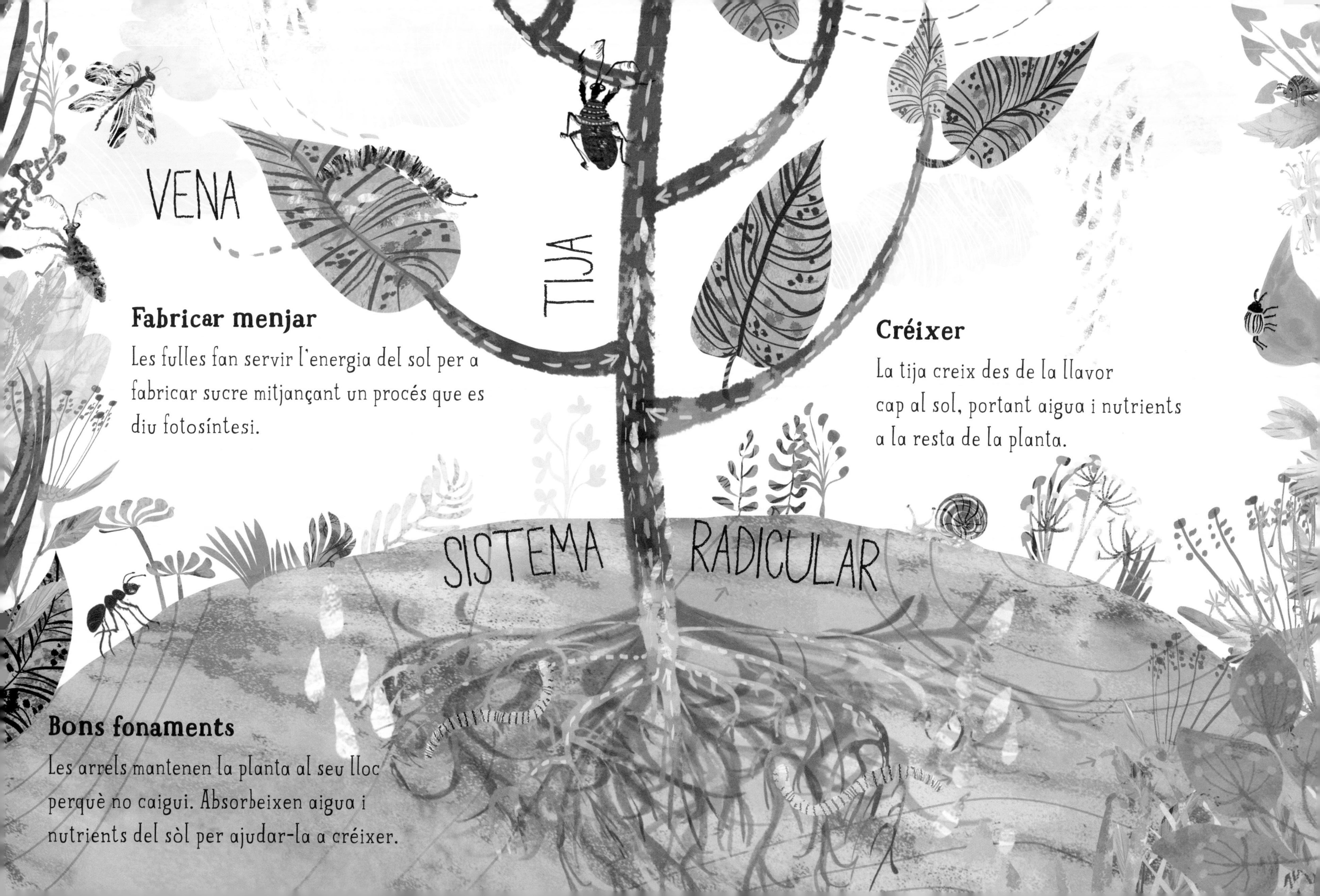

Fabricar menjar

Les fulles fan servir l'energia del sol per a fabricar sucre mitjançant un procés que es diu fotosíntesi.

Créixer

La tija creix des de la llavor cap al sol, portant aigua i nutrients a la resta de la planta.

Bons fonaments

Les arrels mantenen la planta al seu lloc perquè no caigui. Absorbeixen aigua i nutrients del sòl per ajudar-la a créixer.

POL·LINITZADORS

Com viatja el pol·len?

Com que les plantes estan arrelades a terra, els cal ajuda per fer arribar el seu pol·len a altres flors. Les plantes fabriquen un aliment dolç anomenat nèctar per atraure pol·linitzadors, com ara abelles, insectes i ocells cap a les seves flors. El pol·len s'enganxa al cos dels pol·linitzadors que s'aturen a menjar el nèctar i viatja amb ells fins a la propera planta.

Visió nocturna

Les flors pàl·lides o blanques sovint les pol·linitzen insectes nocturns, com ara les arnes, que poden veure-les fàcilment en la foscor.

Cara enganxosa

Els ratpenats xuclen el nèctar de les flors de mango i plàtan, i el pol·len s'adhereix a les seves cares peludes.

Embarbussaments

La llarga llengua del colibrí bec d'espasa és perfecta per arribar al nèctar de l'interior de les flors en forma de tub.

Pol·linitzadors estrella

Els sírfids són uns dels pol·linitzadors més importants de fruiters i flors silvestres.

Cistell

Les abelles tenen unes petites bosses a les potes del darrere envoltades de pèls per recollir pol·len i nèctar.

FLORS DE COLORS

Per què les flors tenen aquests colors tan cridaners?

Les flors són de colors vius per destacar entre el verd dels jardins o camps i ser vistes fàcilment pels pol·linitzadors. Les línies i motius dels pètals els ajuden a saber a on aterrar.

Abelles daltonianes

Les abelles no veuen el vermell però sí el blau, el verd i la llum ultraviolada, que és invisible per als humans. Solen visitar flors blaves i morades.

Atura't!

Els pètals del lliri blau, amb el seu centre groc atrauen els insectes.

Guies cap al nèctar

Els pètals de la flor d'onagra té línies per guiar les arnes fins al nèctar.

Gran i llampant

Als ocells pol·linitzadors els atrauen les flors llampants i de colors vius, sobretot les vermelles. Els colibrís adoren les flors fúcsies, i els tui de Nova Zelanda, la flor de llinet.

Pista d'aterratge

El centre del llinet és de color groc llampant i atrau els borinots.

FLOWER POWER

Per a què serveixen les flors?

La principal tasca de les flors és atraure pol·linitzadors amb el seu color o bé el seu aroma. Però amb el temps els humans han descobert que les flors fan moltes més coses interessants.

Petita i eixerida

Durant dècades les substàncies de l'herba donzella s'han usat en medicina per combatre el càncer.

Beguda reconfortant

Amb flors com l'equinàcia i l'hibisc es fan tisanes que ens ajuden a estar forts i sans.

Atxim!

El pol·len d'alguns tipus de plantes i arbres, com ara l'ambròsia i els roures, poden causar al·lèrgia a les persones.

Antic remei

Durant milers d'anys la gent ha fet servir l'espígol per calmar el dolor muscular. Els romans afegien les flors a l'aigua del bany.

ATRAPAMOSQUES

Què menja l'atrapamosques?

Aquesta petita i temible planta és carnívora i a més de mosques, menja escarabats, llimacs, aranyes i fins i tot granotetes, però les formigues són el seu menjar preferit. Nyam!

Única i exclusiva

Només existeix una espècie d'atrapamosques, i s'amaga a les maresmes subtropicals de la Costa Est dels Estats Units.

Tornaré!

L'atrapamosques floreix cada any sense necessitat de replantar-la.

Atrapat

Quan un insecte toca més de dos pèls de l'interior de cada fulla, activa la trampa, que es tanca en menys d'un segon.

La més ràpida

Amb unes fulles que es tanquen com una petxina, aquesta planta es pot tancar de cop formant el parany perfecte.

ROSES

A les mòmies els agraden les roses?

Fins i tot a les mòmies de l'antic Egipte! S'han trobat corones de roses de més de 5000 anys en antigues tombes egípcies: la gent ha seguit conreant roses des d'aleshores.

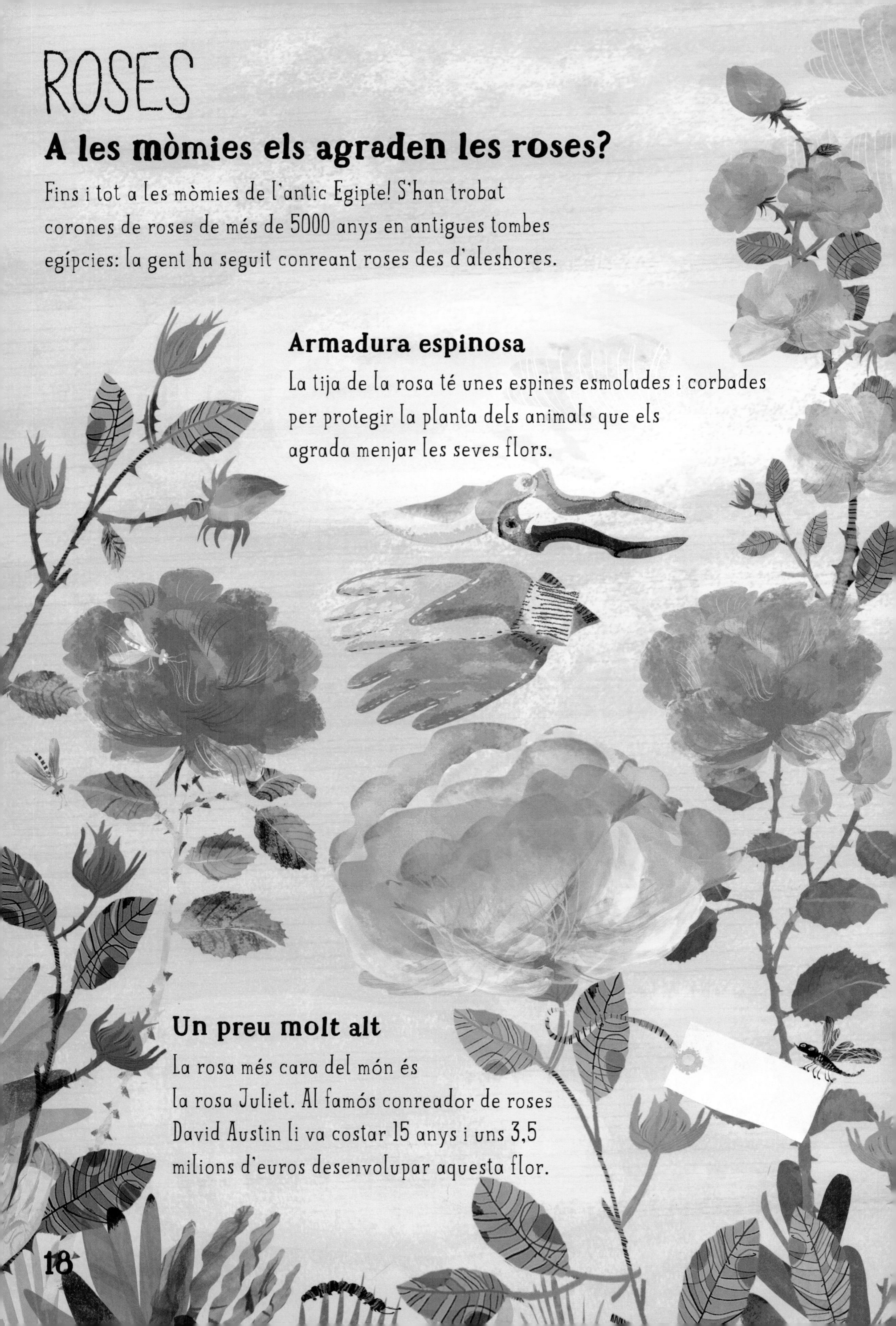

Armadura espinosa

La tija de la rosa té unes espines esmolades i corbades per protegir la planta dels animals que els agrada menjar les seves flors.

Un preu molt alt

La rosa més cara del món és la rosa Juliet. Al famós conreador de roses David Austin li va costar 15 anys i uns 3,5 milions d'euros desenvolupar aquesta flor.

3, 2, 1... zero!

Els astronautes han conreat una rosa a l'espai anomenada *Overnight Scentsation.* Sense gravetat, els olis essencials no romanen a la tija de les plantes, i les flors fan una olor diferent que les conreades a la Terra.

Flors assedegades

Les roses necessiten fins a 15,4 litres d'aigua per a produir una sola flor. Més de 50 gots!

PROTEES

Les protees són molt i molt antigues?

Algunes plantes de la família de les protees potser van conviure amb els dinosaures fa uns 90 milions d'anys. Més del 90% de protees es troben en un punt calent de biodiversitat de Sud-àfrica.

Pujada de sucre

La protea també es coneix com «arbust de sucre» perquè les seves flors produeixen molt nèctar dolç. Els menjamels del Cap mai no en tenen prou.

Plantes pirotècniques

Aquesta espècie es coneix en alguns llocs com «protea cohet» perquè les seves flors semblen focs d'artifici grocs, taronges i porpres.

Sense pressa

La protea neu és molt rara, només creix a dues muntanyes de Sud-àfrica. En caure les primeres neus, la planta comença a obrir la seva flor molt a poc a poc..., triga un any sencer!

Reialesa floral

La flor oberta de la protea rei pot fer fins a 30 cm de diàmetre: un tiberi per a les seves visitants, les abelles del Cap.

FLORS DE CIRERER

Per què se celebra la floració dels cirerers?

Les seves flors, d'on neixen les cireres, són espectaculars, i per això en molts llocs se celebren festes per contemplar la bellesa dels cirerers florits. Els més famosos són al Japó.

Sorpresa primaveral

Les flors de cirerer apareixen a la primavera, abans que les fulles brotin dels arbres. Els pètals cauen suaument com flocs de neu i cobreixen el terra com una catifa rosa o blanca.

Petites i sublims

La majoria de flors de cirerer són blanques o roses, amb cinc pètals petits i delicats, però n'hi ha amb més de 20 pètals.

Vell i savi

Molts cirerers viuen 50 anys, i alguns fins i tot 100. L'arbre més vell es creu que té més de 2000 anys i creix al temple Jissou-Ji, al Japó.

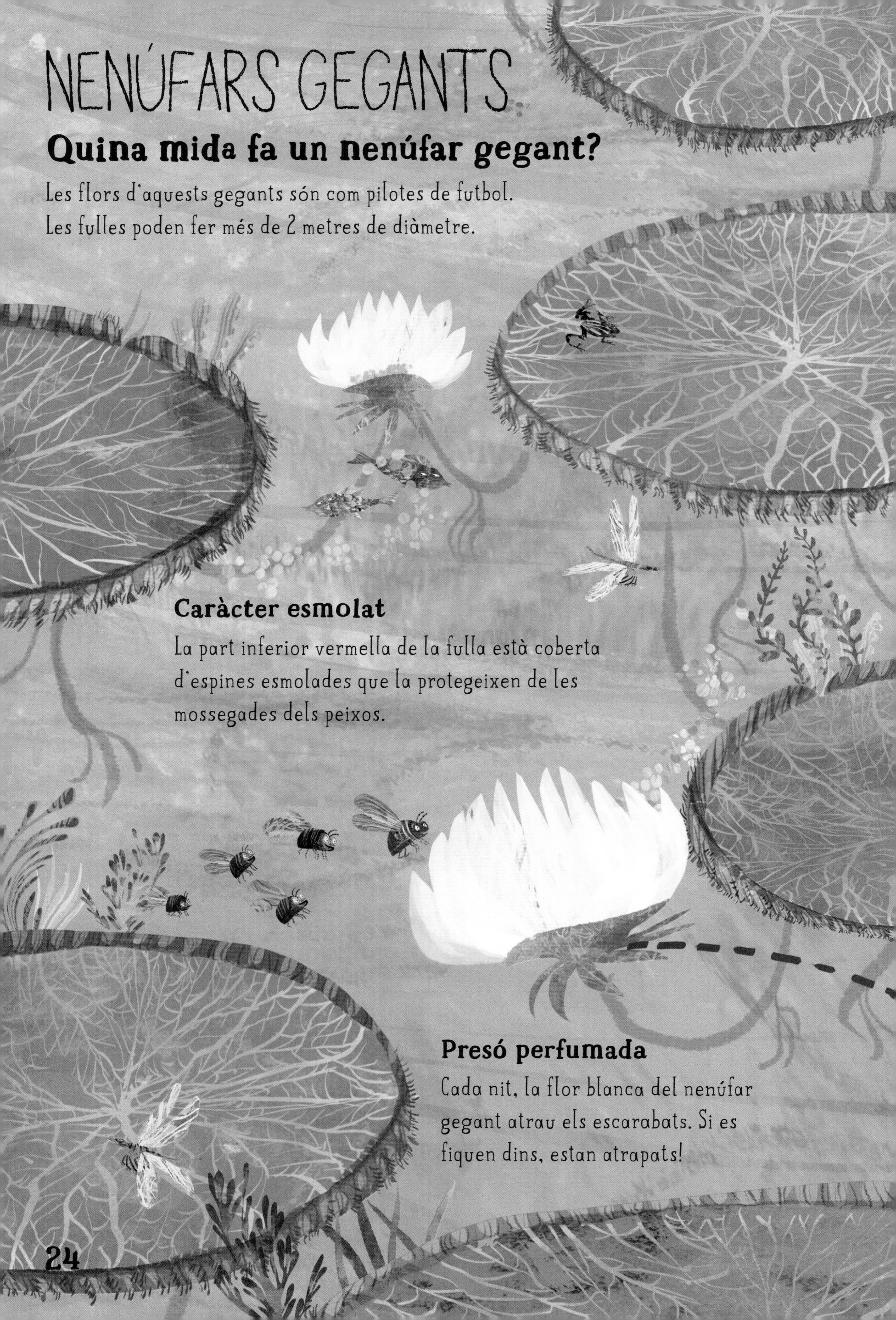

NENÚFARS GEGANTS

Quina mida fa un nenúfar gegant?

Les flors d'aquests gegants són com pilotes de futbol. Les fulles poden fer més de 2 metres de diàmetre.

Caràcter esmolat

La part inferior vermella de la fulla està coberta d'espines esmolades que la protegeixen de les mossegades dels peixos.

Presó perfumada

Cada nit, la flor blanca del nenúfar gegant atrau els escarabats. Si es fiquen dins, estan atrapats!

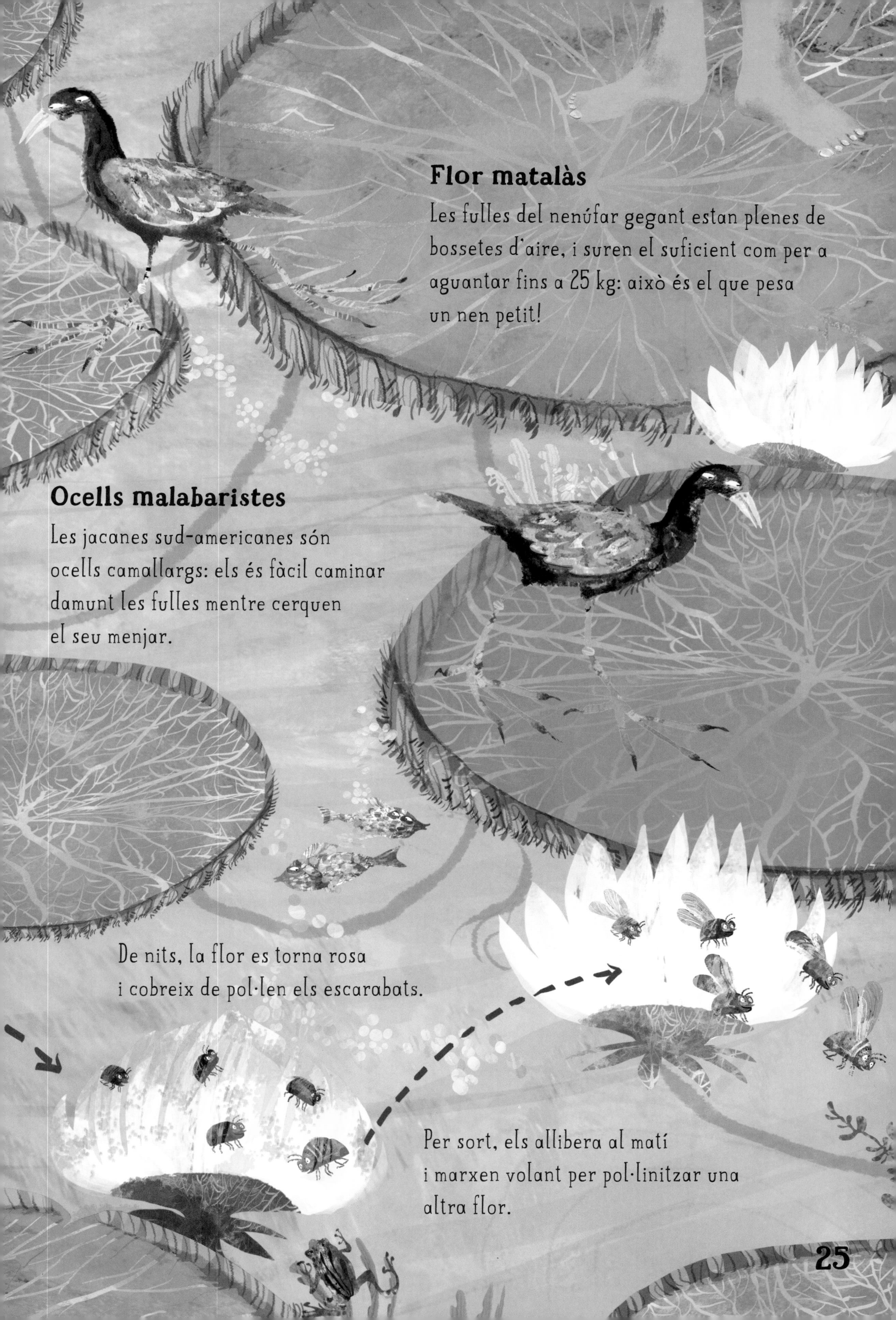

Flor matalàs

Les fulles del nenúfar gegant estan plenes de bossetes d'aire, i suren el suficient com per a aguantar fins a 25 kg: això és el que pesa un nen petit!

Ocells malabaristes

Les jacanes sud-americanes són ocells camallargs: els és fàcil caminar damunt les fulles mentre cerquen el seu menjar.

De nits, la flor es torna rosa i cobreix de pol·len els escarabats.

Per sort, els allibera al matí i marxen volant per pol·linitzar una altra flor.

PLANTES DE GERRA

Què hi ha a dins d'una planta de gerra?

Les plantes de gerra creixen en llocs on el sòl no és gaire nutritiu. Per créixer fortes i sanes obtenen els seus nutrients d'insectes o excrements d'animals que cauen a les seves trampes en forma de gerra.

Menjar pudent

A la *Nepenthes rajah* li agrada mastegar els excrements rics en nutrients de les rates que s'alimenten del seu nèctar.

Amiga dels ratpenats

Una planta de gerra de Borneo s'ocupa de proporcionar als ratpenats un lloc calentó per a la seva becaina diürna.

Quina bona olor...

L'aroma de la planta de gerra serveix per atraure preses. Poden dinar de tot, des d'insectes fins a ratolins i granotes.

Cobra astuta

El lliri de la cobra tempta mosques i escarabats amb un rastre de nèctar a la seva «llengua» vermella en forma de rampa.

FLORS SILVESTRES

Totes les flors són silvestres?

Només les flors que creixen sense cap ajuda humana s'anomenen «silvestres». Les flors silvestres es marceixen cada any quan acaben de produir flors i llavors.

Un xic de sal?

Quan els pètals d'una rosella cauen, queda una càpsula en forma de saler on maduren les llavors. Quan les llavors estan seques, es dispersen amb el vent.

Imant d'abelles

A començament d'estiu, les didaleres comencen a créixer als boscos i les abelles es deleixen per les seves flors.

De prop

Les flors blau intens del blauet en realitat estan compostes per un munt de petites flors.

Restaurant de papallones

El centre groc de la margarida és ple de nèctar, i molt freqüentat per les papallones.

Les flors poden créixer al desert?

Tots els cactus tenen flors: sense elles, no es podrien reproduir. Però per crear una flor es necessita molta aigua, i no n'hi ha gaire al desert. Les flors de cactus duren tan sols unes hores o dies per tal que la planta no perdi massa aigua.

Dolç i espinós

Les flors del cactus gegant s'obren de nits i es tanquen la tarda següent. El seu nèctar dolç és el preferit del ratpenat nassut mexicà.

Corona triomfal

El cactus de barril té flors grogues i vermelles que creixen com una corona damunt de la planta.

Flors tardanes

Moltes flors de cactus són nocturnes, és a dir, només floreixen de nits.

Es fa esperar

La *Stenocereus thurberi* pot viure més de 150 anys, i no produeix la seva primera flor fins als 35.

GIRA-SOLS

Quant de sol necessita un gira-sol?

Un gira-sol necessita un mínim de sis hores de sol al dia, però com més sol rebi, millor creixerà. El seu capoll gira per estar de cara a la llum, i la flor se sol quedar mirant a l'est per a captar tot el sol possible.

Rodament de cap

Cada flor de gira-sol té entre 1000 i 2000 petites flors o flòsculs que creixen en forma d'espiral.

Llavors delicioses

Les llavors de gira-sol triguen 80-100 dies a madurar i són un deliciós aperitiu per als ratolins.

Com has crescut!

El gira-sol és una de les plantes que creix més ràpid: arriba als 1,5-3 metres en tan sols sis mesos.

Busca les diferències

Els gira-sols cultivats tenen una tija i una flor grans. Els gira-sols silvestres tenen tiges ramificades, i les flors i les llavors petites.

ORQUÍDIES

Totes les orquídies s'assemblen?

Hi ha molts tipus d'orquídies, amb formes i flors molt diferents. La planta té arrels que creixen per damunt del sòl per absorbir l'aigua de l'aire.

La combinació perfecta

El tub de nèctar de l'orquídia de Darwin fa 25-30 centímetres. Charles Darwin, el famós naturalista, va deduir que el seu pol·linitzador devia tenir una llengua igual de llarga.

La «llengua» de l'esfinx de Morgan té la llargada justa per pol·linitzar l'orquídia de Darwin.

Flor tardana

L' «or de Kinabalu» és una orquídia que triga 15 anys a créixer i florir, i forma fins a 6 flors grans. Creix als vessants de la muntanya Kinabalu de Borneo.

Dentetes

Dràcula és un gènere d'orquídies que rep el nom del famós vampir pels pètals vermell sang i els sèpals llargs i fins com ullals d'algunes espècies.

Tentacles florals

L'orquídia pop es diu així pels seus pètals, que pengen com si fossin els tentacles d'un pop.

PLANTES ENFILADISSES

Per què s'enfilen les enfiladisses?

Les tiges penjants de les plantes enfiladisses són febles i necessiten ajuda per a créixer dretes. Moltes creixen als boscos i s'enfilen als arbres tot cercant la llum.

Circells sinuosos

L'enfiladissa de cargol es diu així per les seves flors cargolades i els seus capolls en espiral que pengen en ramells de fins a 30 centímetres de la tija.

Cor sagnant

L'enfiladissa de cor sagnant té unes flors en forma de cor amb pètals externs blancs i petits pètals interns vermells com gotes de sang.

Assetjament floral

El gessamí de Virgínia té fama d'espècie invasora perquè pot aixafar fàcilment altres plantes amb els seus potents circells.

Explosió de color

La passionera és de creixement ràpid i té unes flors espectaculars de 10 centímetres de diàmetre i amb pètals violetes, estams groc verd i estigmes morats.

FLORS PESTILENTS

Què és aquesta pudor?

Algunes flors fan olor de carn podrida per atraure pol·linitzadors carnívors com mosques de la carn i escarabats carronyaires: es diuen flors pestilents o flors cadàver.

Lenta i pudent

L'amorfofal·lus triga anys a florir, però la flor es desfà passats uns dies. Aquesta flor genera la seva escalfor (fins a 37,6 °C) perquè s'estengui la seva ferum de carn podrida i els pol·linitzadors creguin que és un animal mort.

Com més gran, millor

Les flors que fan pudor de carn sovint són grans i peludes per confondre les mosques golafres que busquen el cadàver més gran possible.

Trampa de dos dies

La flor del pelicà floreix només durant dos dies. El primer, la flor s'obre i amb la seva olor atrau les mosques. El segon arrebossa els insectes amb pol·len i després els allibera.

Lladre gegant

La flor més gran del món, la *Rafflesia arnoldii*, fa més d'un metre de diàmetre. No té arrels, brots, tiges ni fulles, i roba tot el seu menjar a d'altres plantes amb una mena de xarxa filamentosa.

FLORS D'OCELL

Per què es diu així aquesta flor?

Si la veus, ho sabràs! Les seves flors brillants semblen aus del paradís virolades que s'envolen. En català també en diuen galls perquè sembla que tinguin la cresta d'un gall.

Flors extravagants

Cada flor es compon de tres sèpals verticals taronges i tres pètals blau brillant.

El centre d'atenció

La flor d'ocell creix d'una tija al centre de cada planta en forma de vano. La tija pot fer més de 150 cm.

Prohibida pels insectes

La flor d'ocell només la pol·linitzen ocells petits, com el suimanga.

Es menja?

Aquesta flor està emparentada amb la família del plàtan. Les seves fulles gruixudes i setinades semblen fulles de plataner. (Però no te les mengis!)

TULIPES

És molt gran la família de les tulipes?

Més gran que la teva, segur! Hi ha més de 3000 varietats diferents de tulipes de gairebé tots els colors.

Tulipa trapella

Sembla que la tulipa té sis pètals, però en realitat té tres pètals i tres sèpals.

Bebè bulb

La tulipa creix d'un bulb, que és una tija boteruda i subterrània que emmagatzema menjar. A dins hi dorm un bebè tulipa amb flors, fulles i arrels.

Culte al sol

A les tulipes els agrada tant la llum que fins i tot les flors tallades en una gerra es giren cap a ella.

Ben fresquets

Els bulbs de tulipa necessiten temperatures fredes per florir bé. Es planten a finals de la tardor per tal que puguin passar tot l'hivern sota terra.

BROMÈLIES

Què és una bromèlia?

La bromèlia és un gènere de planta que creix a la selva tropical. Algunes creixen penjades d'altres plantes i branques, i d'altres creixen a terra. La pinya és un dels membres més coneguts de la família.

Amb estil

Les fulles de les bromèlies sovint tenen ratlles o punts i flors de colors llampants que creixen sobre espigues altes.

Sempre florides

Algunes bromèlies sempre estan florides. Això és perquè la planta mare no para de fer noves plàntules o «cries».

Tancs d'aigua frondosos

Algunes bromèlies recullen aigua al centre de les fulles, que formen un petit recipient. Les més grans poden guardar fins a 9 litres d'aigua.

Bressol natural

Les granotes verí de fletxa posen els seus capgrossos a recer dins de les bassetes d'aigua de pluja de les fulles de les bromèlies, i a més mengen algues i larves de mosquit.

LLAVORS I DISPERSIÓ

Com els agrada viatjar a les llavors?

Les llavors s'allunyen de la seva planta mare per trobar espai, llum, aigua i nutrients propis. Les transporta el vent o l'aigua, o viatgen damunt o dins d'algun animal (després de ser menjades). Algunes fins i tot exploten per escampar les llavors!

Polissons

Les llavors de repalassa, apegalós i ranuncle tenen petits ganxos, com velcro, que s'enganxen al pèl dels animals.

Un, dos, tres... Foc!

Algunes plantes com la flor de lli tenen beines de llavors que exploten en assecar-se.

Grans voladors

Les llavors de l'auró baixen de l'arbre en espiral com petits helicòpters. Les del dent de lleó i l'*Asclepias syriaca* són tan lleugeres que planegen suaument amb el vent.

Autoestopistes

Els fruits de colors atrauen animals famolencs. Alguns fruits inicien la germinació de la llavor en ser digerits per un animal. Les llavors surten amb els excrements, a punt per créixer.

PERILLOSA I MORTAL

Com es defensen les plantes?

Les plantes no poden fugir dels seus enemics, per això de vegades es defensen d'insectes i animals més grans amb verins químics. Que també poden ser molt perillosos per a les persones!

Dolç verí

El baladre és una de les plantes més verinoses del món. Fins i tot si menges mel de nèctar de baladre et pots trobar molt malament!

Planta assassina

Totes les parts de la belladona contenen verí. S'ha fet servir per enverinar emperadors, reis i guerrers cèlebres al llarg de la història.

Arma de guerra

Les flors de rododendre poden ser perilloses per a animals petits com ara gats i gossos, però el més tòxic de la planta és el nèctar.

Poció mortal

El còlquic és una planta molt poc usual perquè les seves flors broten de terra abans que les fulles. Conté un verí que pot ser mortal.

ELS JARDINERS DE KEW

Com ajuden al món els jardiners de Kew?

Sabies que els Jardins de Kew tenen la col·lecció més diversa de plantes vives del món? Botànics i científics treballen plegats per conrear i protegir plantes d'arreu del planeta.

Aprendre i ensenyar

Els científics descobreixen i identifiquen noves espècies de plantes arreu del món i investiguen l'impacte del canvi climàtic en els hàbitats en perill.

Custòdia

Les plantes amenaçades es conreen i s'estudien en vivers per protegir-les i augmentar-ne el nombre.

Aventura i descobriment

Hi ha botànics intrèpids que viatgen pel món i estudien les plantes, descobreixen noves espècies i observen i examinen el seu progrés.

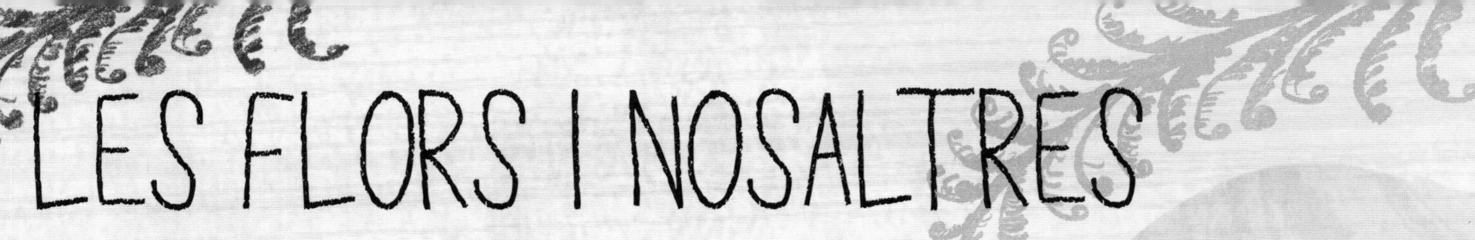

LES FLORS I NOSALTRES

Les flors tenen significat?

Durant segles la gent ha fet servir les flors per a enviar-se missatges d'amor, amistat i dol.

Saviesa natural

Per als budistes, la flor de lotus simbolitza la saviesa i el coneixement espiritual. L'art budista fa servir sovint la flor de lotus per representar Buda.

Feliços per sempre

En els casaments tradicionals de l'Índia, es llancen pètals de flors fresques sobre els nuvis com a benedicció.

Clavell de moro

A Mèxic, a la festa anual del Dia dels Morts, la gent fa servir aquestes flors de colors vius per decorar els altars d'amics i familiars difunts.

Codi romàntic

Al segle XVIII, cada flor tenia un significat especial. Els enamorats s'enviaven missatges secrets amb un senzill ram de flors. Shhh!

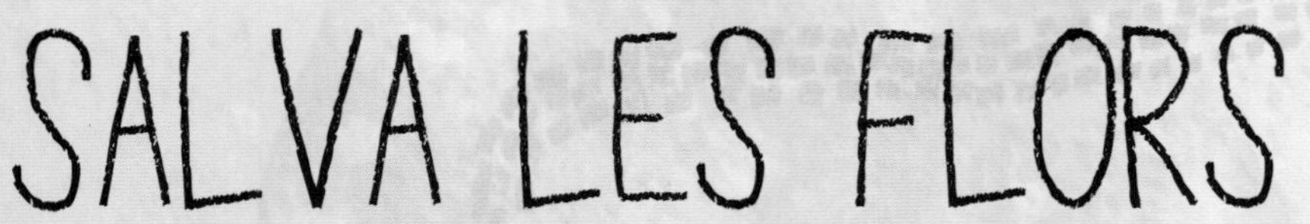

Per què les plantes necessiten ajuda?

Sovint les plantes creixen en hàbitats molt fràgils. En créixer en àrees molt reduïdes, algunes espècies es veuen amenaçades quan l'activitat humana malmet o destrueix el seu entorn.

Petit i perdut

El nenúfar més petit del món, la *Nymphaea thermarum* es trobava tan sols en una deu d'aigua dolça de Ruanda. Ara s'ha extingit en estat silvestre, però els científics s'esforcen per introduir-lo de nou.

Amagatall contra el perill

Durant molts anys els científics pensaven que la *Ramosmania rodriguesi* s'havia extingit, però han aconseguir recuperar l'espècie gràcies a un nen que va trobar la darrera planta viva el 1979. Aquesta planta és de l'illa Rodrigues, antiga llar de les tortugues gegants.

Colors al penya-segat

La *Nesocodon mauritianus*, d'un blau llampant, és pol·linitzada per un gecko que es delecta amb el nèctar d'aquestes flors, que creixen vora la cascada d'un penya-segat a Maurici.

CONREA LES TEVES FLORS

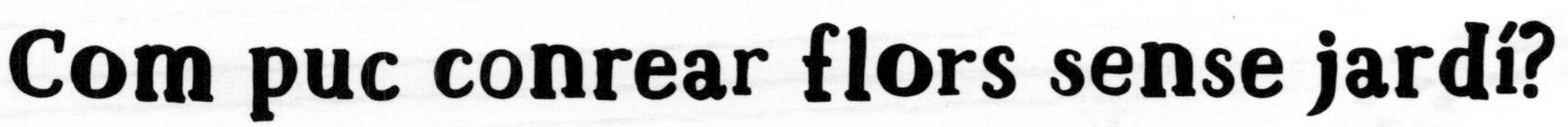

Com puc conrear flors sense jardí?

Crea el teu propi jardí conreant flors al teu ampit o balcó. Converteix pots de iogurt buits en testos i decora'ls amb pintures o adhesius.

Peus fruiters

Fins i tot un parell de botes d'aigua velles poden donar fruit! Fes petits forats als costats i a les soles i omple-les de compost. Col·loca els plançons de maduixera dins dels forats i dins de la canya de la bota i rega'ls amb regularitat.

Escaladors verds

Inserta tres canyes de bambú en un test amb terra o compost i lliga-les per dalt. Planta llavors de pèsols d'olor a la base de cada canya. Quan brotin, enrotlla els plançons a les canyes per ajudar-los a enfilar-se.

El sol ja és aquí

Omple un recipient amb terra o compost. Fes un forat a terra amb un pal, després fica-hi dins una llavor de gira-sol. Mantingues la terra humida. Al cap de tres setmanes apareixerà un plançó. Lliga la tija a una canya. Potser creixi més que tu!

HAS TROBAT...

... els 15 amagatalls del bulb especial al llibre?

20-21 Protees

14-15 Flower power

28-29 Flors silvestres

16-17 Atrapamosques

30-31 Cactus

18-19 Roses

32-33 Gira-sols

ORQUÍDIES

PLANTES ENFILADISSES

TULIPES

BROMÈLIES

LLAVORS I DISPERSIÓ

PERILLOSA I MORTAL

SALVA LES FLORS

CONREA LES TEVES FLORS

PARAULES FLORALS

Aprèn a parlar com un expert

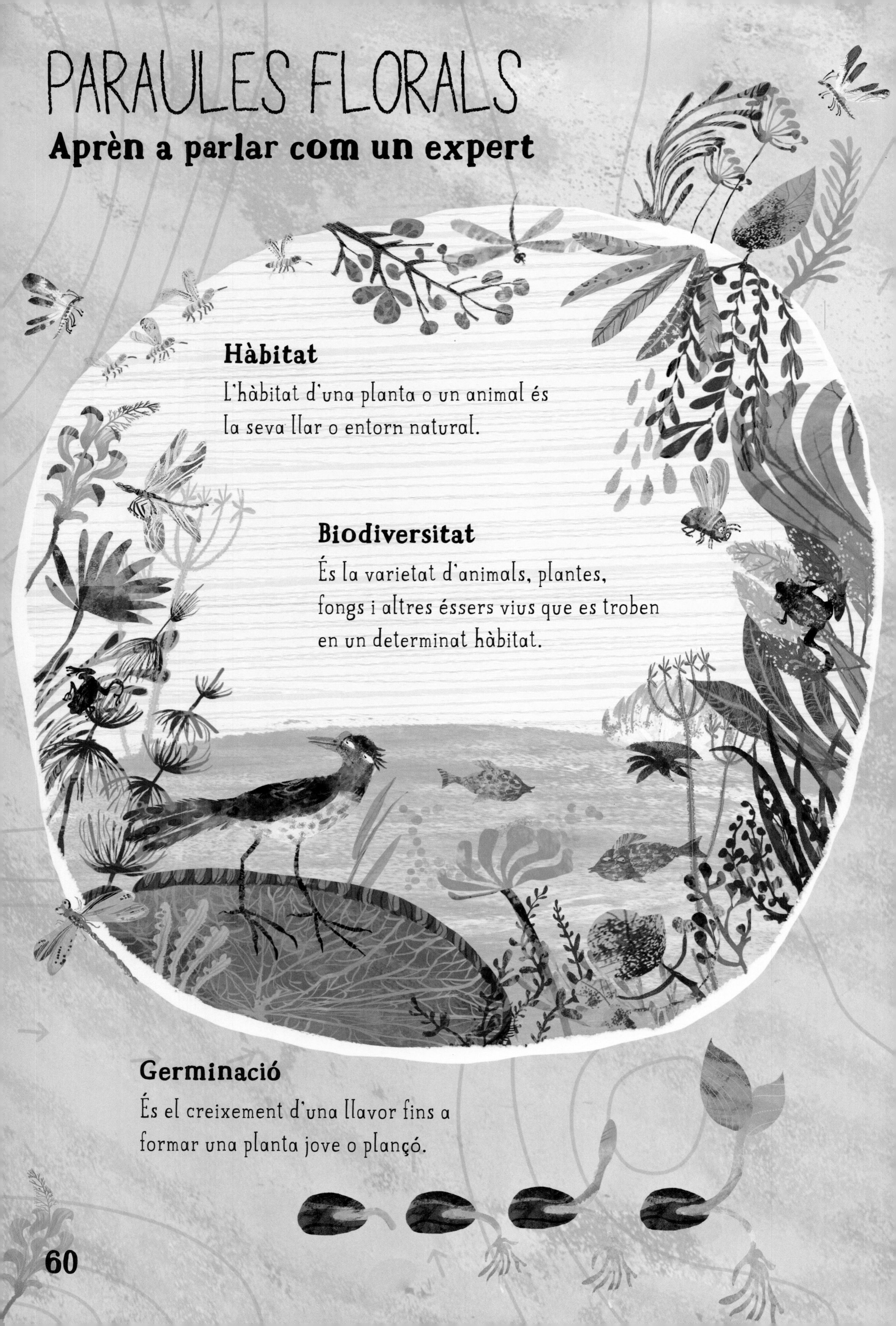

Hàbitat

L'hàbitat d'una planta o un animal és la seva llar o entorn natural.

Biodiversitat

És la varietat d'animals, plantes, fongs i altres éssers vius que es troben en un determinat hàbitat.

Germinació

És el creixement d'una llavor fins a formar una planta jove o plançó.

Fotosíntesi

Fotosíntesi és quan les plantes agafen l'energia de la llum del sol per convertir l'aigua i un gas anomenat diòxid de carboni en sucre, que després utilitzen per créixer.

Nutrients

Els animals i les plantes necessiten nutrients per a créixer forts i saludables. La majoria de plantes els treuen de terra amb les arrels.

Pol·linització

La pol·linització és la forma de reproducció de les plantes. El pol·len de la part masculina d'una flor viatja fins a la part femenina d'una altra flor, on es creen les llavors. D'aquestes llavors en creixeran noves plantes.

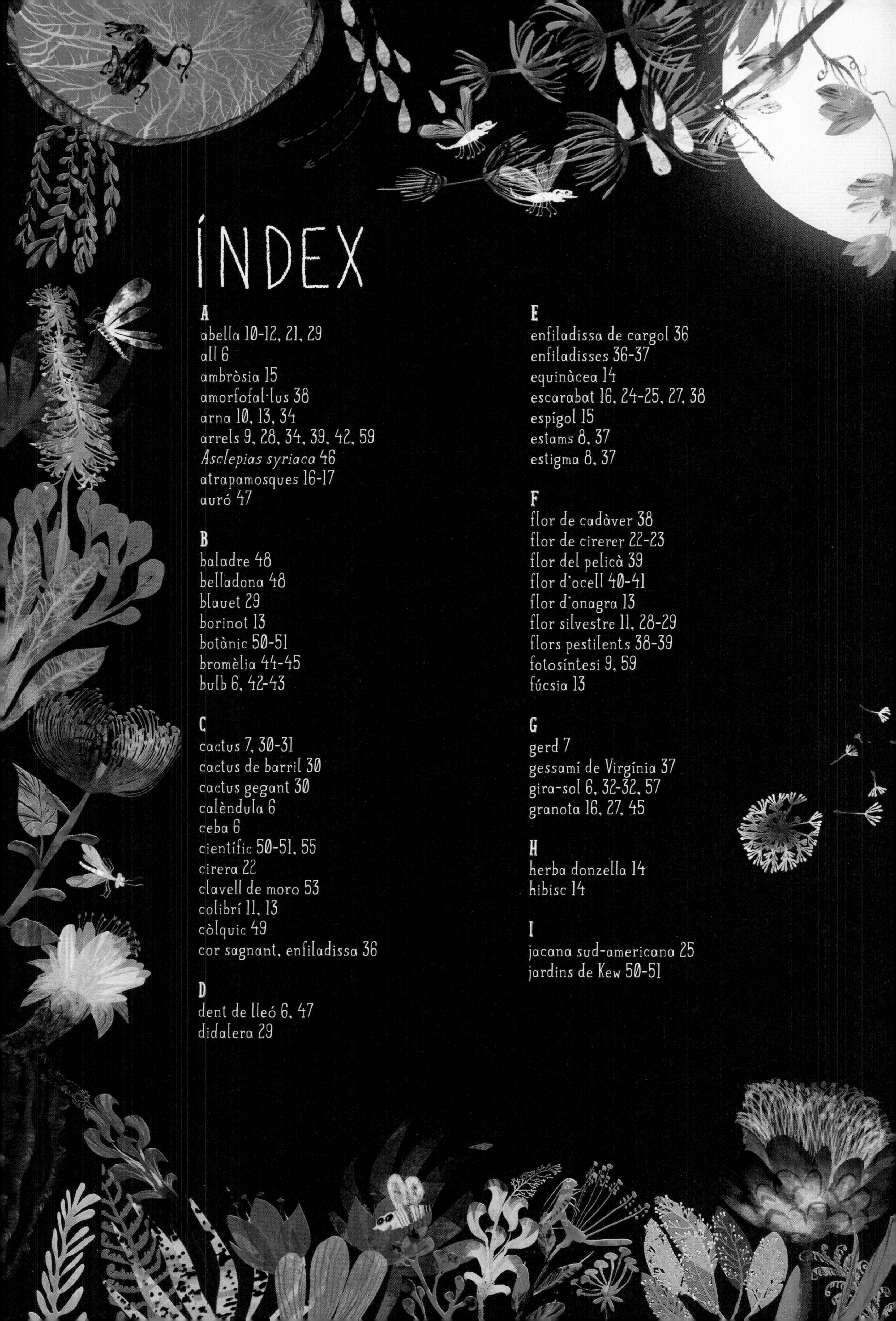

ÍNDEX

A la meva mare, amb tot el meu amor

Moltes gràcies a l'Elisa i l'Scott
del Reial Jardí Botànic de Kew

Títol original: THE BIG BOOK OF BLOOMS
Edició original publicada al Regne Unit per Thames & Hudson Ltd, Londres

Provença, 101, 08029 Barcelona
info@editorialjuventud.es
www.editorialjuventud.es

Traducció: Susana Tornero

ISBN 978-84-261-4644-1

Primera edició, abril del 2020
DL B 25386-2019
Núm. d'edició d'E. J.: 13.862
Maquetació: Mercedes Romero
Printed in China